BERLION
TONY CORSO
LE PRIVÉ DE LA JET-SET

COULEUR : CHRISTIAN FAVRELLE
LETTRAGE : FRANÇOIS BATET

DARGAUD

PARIS • BARCELONE • BRUXELLES • LAUSANNE • LONDRES • MONTRÉAL • NEW YORK • STUTTGART

**Merci à Gisou et Pierrot pour ce merveilleux
coin de paradis et tous ces souvenirs.
Merci à Lewis pour les photos.
Merci Christian, pour ton travail et ton enthousiasme chaleureux.**
O. Berlion

**Pour mes parents, à qui j'en ai fait voir de toutes les couleurs...
À mes doux et beaux anges, Gaelle et Lisandre, je vous aime.
Merci à Olivier et Rose, avec toute mon amitié.**
C. Favrelle

www.dargaud.com

© DARGAUD 2006

PREMIÈRE ÉDITION

Tous droits de traduction, de reproduction et d'adaptation strictement réservés pour tous pays.

Dépôt légal : juin 2006 • ISBN 2-205-05797-9

Printed in France by PPO Graphic, 93500 Pantin

MAISON D'ARRÊT DE FRESNES : QUARTIER POUR MINEURS.

J'ÉTAIS RÉCIDIVISTE, ON AVAIT MÉCHAMMENT DÉMOLI LE TÔLIER ET J'AVAIS REFUSÉ DE LÂCHER LE NOM DE MON COMPLICE : CELA FAISAIT 3 CIRCONSTANCES AGGRAVANTES POUR LE JUGE D'APPLICATION DES PEINES.

J'EN AI PRIS POUR SIX MOIS. C'ÉTAIT IL Y A 12 ANS DÉJÀ...

CORSO ! ACTIVITÉ CUISINE !

JE L'AI RENCONTRÉ LÀ-BAS, À L'ÉPOQUE, IL AVAIT LES CHEVEUX LONGS ET FOURNIS. IL AVAIT PRIS DEUX ANS POUR USAGE, DÉTENTION ET TRAFIC DE STUPÉFIANTS. IL FOURNISSAIT LA MOITIÉ DE SON LYCÉE DE RUPINS EN CANNABIS.

SON PRINCIPAL CLIENT, LE CANARD BOITEUX D'UNE RICHE FAMILLE D'INDUSTRIELS, L'AVAIT BALANCÉ APRÈS S'ÊTRE FAIT SERRER PAR LES STUPS À LA SORTIE D'UNE BOÎTE DE NUIT.

MALGRÉ SA TÊTE À CLAQUES, FRANÇOIS-GÉRÔME DELAHAYE ÉTAIT EXTRÊMEMENT SÛR DE LUI. LOIN DE SE MORFONDRE SUR SON SORT, IL AVAIT, DÈS SON ARRIVÉE, RÉACTIVÉ SES RÉSEAUX ET RÉORGANISÉ SON BUSINESS À L'INTÉRIEUR DE LA TAULE. POUR DÉCOURAGER TOUTE VELLÉITÉ DE CONCURRENCE, IL S'ÉTAIT APPUYÉ SUR LES BICEPS DÉMESURÉMENT DÉVELOPPÉS D'UN ASSOCIÉ DE CONFIANCE. ÇA MARCHAIT COMME SUR DES ROULETTES.

QUAND JE SUIS ARRIVÉ, SON BRAS DROIT VENAIT DE TERMINER SA PEINE. J'AI PRIS LA SUITE. J'ÉTAIS MOINS LARGE QUE SON GORILLE, MAIS JE COMPENSAIS AVEC UNE BONNE DOSE DE PSYCHOLOGIE APPLIQUÉE. ON FAISAIT UNE BONNE ÉQUIPE. NOUS AVONS PASSÉ SIX MOIS PEINARDS À SE REMPLIR LES POCHES, ET PUIS SON TOUR EST VENU...

JE SORS DEMAIN, TONY.

JE SAIS.

IL TE RESTE COMBIEN À TIRER ?

TROIS SEMAINES.

TROIS FOIS RIEN !

QUELQU'UN T'ATTEND À LA SORTIE ?

MON PÈRE, PEUT-ÊTRE... MAIS ÇA M'ÉTONNERAIT...

SI PERSONNE NE VIENT, TU PEUX COMPTER SUR MOI.

IL A TENU PAROLE.

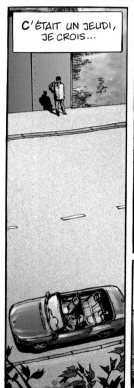

C'ÉTAIT UN JEUDI, JE CROIS...

BIENVENUE AU PAYS DES HOMMES LIBRES, TONY, TU COMMENÇAIS DÉJÀ À ME MANQUER.

COMME TU VOIS, NOTRE BUSINESS A FAIT DES PETITS.

L'ARGENT N'A PAS D'ODEUR, MAIS IL A DE LA GUEULE !

N'EST-CE PAS ?

ÇA TE DIRAIT QUELQUES JOURS DE VACANCES ?

SAINT-TROPEZ : INCONTOURNABLE LIEU DE RALLIEMENT, L'ÉTÉ VENU, DE TOUTE LA JET-SET INTERNATIONALE. FRANÇOIS-GÉRÔME AVAIT RÉQUISITIONNÉ LA MAISON D'UNE DE SES TANTES, HISTOIRE DE TIRER UN TRAIT SUR CETTE SALE PÉRIODE ET REPARTIR DU BON PIED.

ON A PLONGÉ, LA TÊTE BAISSÉE, DANS LA DÉMESURE...

ON AVAIT PAS MAL DE NUITS INTERMINABLES ET SOLITAIRES À RATTRAPER, ON A EXPLOSÉ NOS OBJECTIFS, TOUTES NOS ÉCONOMIES Y SONT PASSÉES.

LA BARAQUE DE FRANÇOIS-GÉRÔME EST DEVENUE LE SPOT PRÉFÉRÉ DES PLUS BELLES FILLES DU MONDE, ACCOMPAGNÉES DE TYPES PLEINS AUX AS, ET DE STARS DÉJANTÉES EN QUÊTE DE SENSATIONS FORTES. TOUS, BIEN ENTENDU, IVRES MORTS ET DÉFONCÉS DU SOIR AU MATIN...

TOUTE CETTE PUTAIN DE JET-SET, MADGID; CELLE QUI DÉGOULINAIT DE NOS POSTES DE TÉLÉVISION, QUI SE PAVANAIT SOUS NOS YEUX DE GOSSES PALMÉS, CELLE À LAQUELLE ON S'ÉTAIT JURÉS D'APPARTENIR PENDANT TOUTES NOS ANNÉES DE GALÈRE. ELLE ÉTAIT LÀ, À MES PIEDS...

ON A FAIT LE TOUR DE LA QUESTION EN VERSION ACCÉLÉRÉE.

ET PUIS L'ÉTÉ S'EST TERMINÉ...

LA FAMILLE DE FRANÇOIS-GÉRÔME A SIFFLÉ LA FIN DE LA PARTIE...

IL A FALLU RENDRE LES CLÉS DU TEMPLE...

3

FRANÇOIS-GÉRÔME S'EST MIS EN TÊTE DE PRENDRE EN MAIN SON AVENIR. IL S'EST INSCRIT EN FAC D'HISTOIRE DE L'ART, AVEC EN LIGNE DE MIRE L'OBJECTIF DE MONTER UNE GALERIE EN S'APPUYANT SUR LES FONDS FAMILIAUX.

ET COMMENT T'ES PASSÉ DE LA CASE JET-SETTEUR SAISONNIER À DÉTECTIVE PRIVÉ?

APRÈS LE DÉPART DE FRANÇOIS-GÉRÔME, J'AI DÉCIDÉ DE TENTER MA CHANCE SUR PLACE.

J'AI ENCHAÎNÉ LES PETITS BOULOTS SAISONNIERS JUSQU'À CE QUE J'OBTIENNE UNE PLACE DE SERVEUR AU "CUBANITO CAFÉ", UN BAR BRANCHÉ TENU PAR MAX SALADIN ET PAUL SCOTTI, DEUX CAÏDS LOCAUX.

J'AIMAIS BIEN MAX.

JUSQU'À CE SOIR DE JUILLET OÙ J'AI VU NADIA POUR LA PREMIÈRE FOIS.

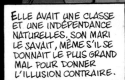

ELLE AVAIT UNE CLASSE ET UNE INDÉPENDANCE NATURELLES. SON MARI LE SAVAIT, MÊME S'IL SE DONNAIT LE PLUS GRAND MAL POUR DONNER L'ILLUSION CONTRAIRE.

ELLE AVAIT ÉTÉ SERVEUSE DANS UNE AUTRE VIE, AVANT DE TRANSFORMER CET ABRUTI DE PAUL SCOTTI EN CARPETTE DE LIT.

J'AI TOUT DE SUITE VU QUE JE LUI PLAISAIS.

EN ME SOURIANT CE SOIR-LÀ, ELLE A SAUVÉ SA VIE ET TRANSFORMÉ LA MIENNE.

4

LES DEUX CALIBRES SONT ENTRÉS PAR L'ARRIERE, CÔTÉ CUISINE...

CE SOIR-LÀ, J'AI TIRÉ MON PREMIER COUP DE FEU...

RATATA

RATATA

BLAM

BLAM BLAM BLAM

FUMIERS!!

SALES ENFANTS DE PUTAIN! JE LES CRÈVERAI!!

MERCI. TU VAS PRENDRE LE LARGE PENDANT UN CERTAIN TEMPS. L'AMBIANCE VA ÊTRE MOINS FESTIVE DE CE CÔTÉ-CI DE LA CÔTE.

GARDE-LE ET UTILISE-LE INTELLIGEMMENT, PETIT!

6

troisième enquête

LA FORTUNE DE WARREN BULLET

C'ÉTAIT IL Y A DIX ANS.

T'AS BUTÉ UN MEC?

OUAIS!

LA VACHE! ÇA DOIT FAIRE DRÔLE!

TU REPRENDS UN CAFÉ?

TU T'ES MIS À BOSSER POUR LE MAFIEUX?

SALADIN! SI TU TIENS À PASSER UN SÉJOUR PEINARD DANS LE COIN, ÉVITE DE L'APPELER LE "MAFIEUX".

MAX M'A FILÉ DU BLÉ, HISTOIRE DE ME RETOURNER, MAIS J'AI PRÉFÉRÉ RESTER EN DEHORS DE SES AFFAIRES. QUESTION DE LIBERTÉ, SURTOUT.

T'ES REMONTÉ À PARIS?

OUAIS. UN AN. JE T'AI CHERCHÉ.

APRÈS TA CONDAMNATION, MON PATERNEL N'A RIEN TROUVÉ DE MIEUX QUE DE M'EXPÉDIER EN ALGÉRIE, POUR ME COUPER DES MAUVAISES FRÉQUENTATIONS, COMME IL DISAIT. C'EST POUR ÇA QUE J'AI PAS PU PASSER TE VOIR EN TAULE.

C'EST CE QU'ON M'A DIT.

ET TON PÈRE?

TU L'AS REVU AVANT SON...

NON.

C'EST MOCHE CE QUI LUI EST ARRIVÉ, JE NE SAVAIS PAS QU'IL NAVIGUAIT... IL AVAIT RETAPÉ CE BATEAU À PARIS, OU...

LAISSE TOMBER, MADGID...

T'AS QUELLE HEURE?

9 HEURES!

TON AVION EST À QUELLE HEURE DÉJÀ?

QUATORZE.

ON A LARGEMENT LE TEMPS.

TU M'ACCOMPAGNES OU TU PRENDS UN DERNIER BAIN DE SOLEIL AVANT DE REVOIR LE CIEL LAITEUX DE PARIS?

JE T'ACCOMPAGNE. JE SUIS CURIEUX DE TE VOIR NÉGOCIER.

EN GÉNÉRAL, MES CLIENTS SONT RAREMENT EN POSITION DE NÉGOCIER QUOI QUE CE SOIT.

ON Y VA.

C'EST QUOI, CE CHEMIN DE MULET?

C'EST POUR QUE TU PROFITES UNE DERNIÈRE FOIS DU PAYSAGE...

JE VAIS FINIR PAR ME PÉTER UNE CHEVILLE EN GUISE DE SOUVENIR, OUI!

QUELLE IDÉE, AUSSI, DE METTRE DES TONGS!

TU M'AS DIT UN PETIT SENTIER PITTORESQUE, J'AI MIS DES POMPES PITTORESQUES.

C'EST LÀ...

IL HABITE UNE FORTERESSE RAVITAILLÉE PAR LES CORBEAUX OU QUOI, TON CLIENT?

PRESQUE.

D'ACCORD...

SYMPA, LA VILLÉGIATURE, HEIN? RECONNAIS QUE ÇA VALAIT LE COUP D'ŒIL!

WARREN BULLET, RICHISSIME HOMME D'AFFAIRES AMÉRICAIN, A FAIT FORTUNE DANS L'IMPORT-EXPORT D'ACIER ET DE BOIS TROPICAUX.

IL S'EST OFFERT UNE RETRAITE DORÉE SUR NOS RIVAGES. IL SE CONTENTE DÉSORMAIS DE FAIRE FRUCTIFIER SON PACTOLE PAR LE BIAIS DE MULTIPLES "VÉHICULES DE PLACE-MENT" OU "SOCIÉTÉS OFFSHORE" ÉPARPILLÉS AUX QUATRE COINS DU MONDE.

IL M'A CONTACTÉ LA VEILLE POUR UNE AFFAIRE DE LA PLUS HAUTE IMPORTANCE, SELON SES PROPRES TERMES.

8

TONY CORSO, JE SUPPOSE ?

LUI-MÊME, MONSIEUR BULLET.

LA BALADE VOUS A PLU ?

SUPERBE.

VOUS DEVEZ AVOIR SOIF. JE VOUS SERS QUELQUE CHOSE ?

MERCI, JAMAIS AVANT MIDI.

ON EST LOIN DE CES INFÂMES PIQUETTES CALIFORNIENNES. ON DIT QUE LA FRANCE EST LE PAYS DES FEMMES ET DU VIN, MONSIEUR CORSO, CEPENDANT...

ÉPARGNEZ-MOI LE COUPLET SUR LE PINARD.

IDEM POUR LA PEINTURE CONTEMPORAINE, LA BEAUTÉ SAUVAGE DES TOURNOIS DE POLO, ET TOUTES CES PASSIONS À LA NOIX QUE LA PLUPART DE MES CLIENTS SE DÉCOUVRENT SUR LE TARD, APRÈS AVOIR FAIT FORTUNE SUR LE DOS DE LA PLANÈTE.

DE PLUS, MES AMIS DISENT QUE J'AI UN GOÛT DE CHIOTTES. ON GAGNERA DU TEMPS.

VOUS ÊTES CYNIQUE, MONSIEUR CORSO. ANÉMONE M'AVAIT PRÉVENU.

VOUS M'AVEZ FAIT VENIR POUR QUOI ?

J'AI UN FILS, MONSIEUR CORSO, CE N'EST PAS CE DONT JE SUIS LE PLUS FIER, MAIS ON A LA DESCENDANCE QU'ON MÉRITE.

J'AI FAIT FORTUNE, J'AI CONNU LES PLUS BELLES FEMMES. J'AI OBTENU TOUT CE DONT UN HOMME PEUT RÊVER.

CEPENDANT, À L'HEURE DE L'ADDITION, ET MÊME SI CELA FAIT MAL AU POSTÉRIEUR, COMME VOUS DITES PAR ICI, IL NE ME RESTE PLUS QUE LUI POUR DONNER UN PEU DE SENS À TOUT ÇA.

EN GROS, ET POUR SIMPLIFIER, IL A DISPARU.

KIDNAPPÉ.

VOUS AVEZ RAISON. JE VAIS FAIRE COURT.

MERCI.

IL Y A DE CELA UN MOIS, MON AVOCAT D'AFFAIRES, ROLAND BILLARD, SUISSE, BIEN ENTENDU, M'A PROPOSÉ UNE OPÉRATION FINANCIÈRE JUTEUSE. MAIS IL FALLAIT QUE JE ME DÉPLACE AU BELIZE, ANCIENNEMENT HONDURAS BRITANNIQUE, UN PETIT ÉTAT PRÈS DU GUATEMALA.

L'UNE DES NOMBREUSES SPÉCIALITÉS DE CE TERRITOIRE EXOTIQUE EST D'ÊTRE UN CENTRE DE PRODUCTION DE SOCIÉTÉS OFFSHORE.

VOUS CONNAISSEZ ?

L'INTUITION.

NE VOUS DONNEZ PAS LA PEINE D'ÊTRE ANTIPATHIQUE À CHAQUE PHRASE, MONSIEUR CORSO, LES PETITS BRANLEURS DE VOTRE ESPÈCE NE M'IMPRESSIONNENT PAS.

DE MON CÔTÉ, CE SONT LES GRANDS CONS QUI SE PRENNENT POUR MICHEL-ANGE, AVEC UN VERRE DE PIQUETTE À LA MAIN.

MAINTENANT QUE NOUS SOMMES CERTAINS DE NE PAS PASSER NOS WEEK-ENDS ENSEMBLE, ON VA POUVOIR SE CONCENTRER SUR NOS AFFAIRES.

QU'EN DITES-VOUS ?

OK. DE TOUTE FAÇON, JE MANQUE DE TEMPS.

ANÉMONE M'A AFFIRMÉ POUVOIR COMPTER SUR VOTRE ABSOLUE ET DISCRÈTE EFFICACITÉ. JE N'AI PAS ENVIE DE VOIR LES AUTORITÉS FOUILLER DANS MES AFFAIRES.

C'EST MA SPÉCIALITÉ.

VOUS ME PARLIEZ DE VOTRE FILS.

COMME JE VOUS DISAIS AVANT QUE VOUS NE M'INTERROMPIEZ, MON AVOCAT, ROLAND BILLARD, M'A PROPOSÉ CETTE EXCELLENTE OPÉRATION AU BELIZE, IL Y A DE CELA 3 SEMAINES, MAIS J'AI PEUR EN AVION. IL M'A SUGGÉRÉ D'ENVOYER STEVE À MA PLACE, LE REJOINDRE, HISTOIRE DE COMMENCER À FORMER CE GLANDEUR AUX SUBTILITÉS DE LA FINANCE.

LA FRAUDE FISCALE.

ON S'EST COMPRIS.

BREF.

AVANT-HIER, J'AI REÇU ÇA.

VIA INTERNET. LES ESCROCS SONT MODERNES DE NOS JOURS.

POUR LE REVOIR EN VIE : 7 MILLIONS D'EUROS. NOS INSTRUCTIONS SUIVRONT.

ET GOURMANDS !

COMME VOUS DITES ! CERISE SUR LE GÂTEAU, MES COMPTES ONT ÉTÉ VIDÉS.

COMMENT ONT-ILS PU ...

C'EST DONC LUI QUI EST DANS LE COUP.

SANS DOUTE...

SEUL BILLARD ÉTAIT À MÊME DE DÉMÊLER, ET DONC DE DÉTOURNER L'INDÉCHIFFRABLE MONTAGE FINANCIER QU'IL A SAVAMMENT ÉLABORÉ PENDANT DE LONGUES ANNÉES, AFIN DE METTRE MA FORTUNE À L'ABRI DE TOUTES LES CONVOITISES.

VOTRE FILS EST PEUT-ÊTRE LUI AUSSI DE MÈCHE.

AUCUN INTÉRÊT POUR LUI. JE SUIS RONGÉ PAR UN CANCER ET IL EST MON SEUL HÉRITIER.

10

14

JE SUIS RUINÉ. CETTE PROPRIÉTÉ EST LA SEULE CHOSE QUI ME RESTE, ET SI VOUS ÉCHOUEZ, JE SERAI OBLIGÉ DE LA VENDRE POUR SAUVER CE CRÉTIN.

DOMMAGE. VOUS SAVIEZ QU'ELLE A ÉTÉ CONSTRUITE POUR SARAH BERNHARDT ?

BIEN ENTENDU. J'AI MÊME PRIS LA PRÉCAUTION, DANS MON TESTAMENT, DE LÉGUER CE DOMAINE AU CONSERVATOIRE DU LITTORAL, POUR EMPÊCHER CE PARASITE DE STEVE DE CÉDER À LA VORACITÉ DES INNOMBRABLES PROMOTEURS QUI TOURNENT AUTOUR DEPUIS DES ANNÉES.

ÇA REJOINT MA THÈSE SUR SON ÉVENTUELLE COMPLICITÉ.

IL N'EST PAS AU COURANT. IL ATTEND SON HÉRITAGE SANS SOURCILLER.

VOUS ET VOTRE ASSOCIÉ PRENDREZ LE PROCHAIN VOL POUR BELIZE DEMAIN. JE M'OCCUPE DES BILLETS.

QUEL ASSOCIÉ ?

VOUS N'ÊTES PAS ASSOCIÉ ?

SI, BIEN ENTENDU.

C'EST SON CÔTÉ CYNIQUE.

DISONS QUE TONY S'OCCUPE DE LA PARTIE INTELLECTUELLE DE L'AFFAIRE. JE PRIVILÉGIE TOUJOURS L'ACTION.

11

50 000 EUROS PLUS LES FRAIS !! LA VACHE ! JE COMPRENDS POURQUOI T'AS LAISSÉ TOMBER LES ÉTUDES !

ENCORE FAUT-IL RETROUVER SON MORPION.

MADGID?

YES, BOSS !

JE PEUX SAVOIR À QUOI TU VAS ME SERVIR?

TU PARLES ESPAGNOL?

NON.

JE PARLE ESPAGNOL !

ET ALORS? LA LANGUE OFFICIELLE DU BELIZE, C'EST L'ANGLAIS.

...

TU PRENDRAS DES PHOTOS, ÇA NOUS FERA DES SOUVENIRS.

UNE DERNIÈRE CHOSE AVANT DE DÉCOLLER...

QUOI?

TU NE PARLES DE CETTE AFFAIRE À PERSONNE, MÊME PAS À TA MÈRE. C'EST LA RÈGLE DE BASE, AVANT ET APRÈS. COMPRIS?!

NI NADIA, NI...

PERSONNE !

ÇA DOIT ÊTRE SUPER FRUSTRANT DE...

J'EN ÉTAIS SÛR, TU ES INCAPABLE DE LA BOUCLER ! LAISSE TOMBER, MADGID !

ÇA VA, J'AI PIGÉ, MAGNUM, PAS LA PEINE DE ME FAIRE TON CINOCHE.

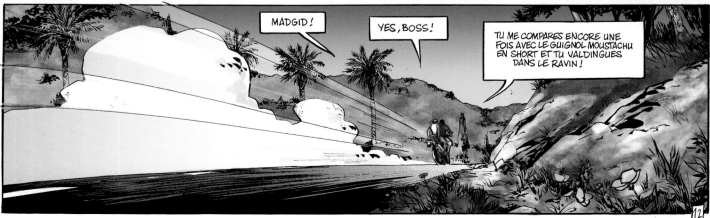

MADGID !

YES, BOSS !

TU ME COMPARES ENCORE UNE FOIS AVEC LE GUIGNOL MOUSTACHU EN SHORT ET TU VALDINGUES DANS LE RAVIN !

16

C'EST BIEN CELLE DE VOTRE PÈRE ?

OUI.

ON L'A RETROUVÉE DANS L'ÉPAVE DE SON BATEAU, ÉCHOUÉ AU LARGE DE L'ÎLE D'OUESSANT. JE VOULAIS UNE CONFIRMATION.

JE SUIS DÉSOLÉ...

VOUS AVIEZ DÉJÀ PERDU VOTRE MAMAN, JE CROIS...

JE SUIS DÉSOLÉ...

...ON ARRIVE.

HO ! HO ! TONY !

DEBOUT, MON POTE !

JE VIENS D'APERCEVOIR LA BARRIÈRE DE CORAIL.

...

ANATOMIE DE LA FINANCE INTERNATIONALE

PAS ÉTONNANT QUE T'AIES DU MAL À ÉMERGER AVEC CE GENRE DE LITTÉRATURE : "ANATOMIE DE LA FINANCE INTERNATIONALE" !

FRANCHEMENT, T'AS PAS TROUVÉ PLUS ENNUYEUX. T'AS PEUT-ÊTRE L'INTENTION DE PLACER TES ÉCONOMIES EN BOURSE, REMARQUE...

T'AS RAISON. LE STYLE EST AUSSI PRÉTENTIEUX QU'AMPOULÉ, ET C'EST UNE LITANIE DE BANALITÉS. MAIS IL SE TROUVE QUE CE PAVÉ INSIPIDE EST L'ŒUVRE D'UN CERTAIN ART SELLING, ALIAS ROLAND BILLARD, L'AVOCAT DE WARREN BULLET.

IL A ÉCRIT UN BOUQUIN, CE CON !

QU'EST-CE QUE T'EN SAIS ?

DE QUOI ?

QUE C'EST UN CON.

IL A AU MOINS EU L'INTELLIGENCE DE PRENDRE UN PSEUDONYME.

TIENS, SI T'AS RIEN À LIRE, J'AI UN GUIDE SUR LE BELIZE POUR COMMENCER À RÊVER.

SUPER !

BELIZE CITY : UNE VILLE BÂTIE PAR DES PIRATES ANGLAIS, DÉVASTÉE PAR UN CYCLONE EN 1961. ELLE EST RESTÉE LA CAPITALE HISTORIQUE ET COMMERCIALE DU PAYS, MÊME SI LE GOUVERNEMENT, SUITE À CET ÉVÉNEMENT, A PRIS LA DÉCISION DE SE TRANSFÉRER EN 1971 À BELMOPAN, 50 KM PLUS À L'OUEST.

MÊME REBÂTIE, BELIZE CITY CONSERVE LES CARACTÉRISTIQUES D'UN VIEUX PORT COLONIAL DES CARAÏBES : ARCHITECTURE D'UN AUTRE ÂGE, CERNÉE DE BARAQUES EN BOIS SUR PILOTIS ET TOITS EN TÔLE.

UN LABYRINTHE DANS LEQUEL ROLAND BILLARD POUVAIT AISÉMENT S'ÊTRE ÉVAPORÉ.

NOTHING TO DECLARE ?

QU'EST-CE QU'IL DIT ?

IL TE DEMANDE SI TU PARLES L'ESPAGNOL.

NOTHING !

HA ! - HA ! TRÈS DRÔLE. JE SUIS MORT DE...

NOTHING TO DECLARE ?!

?

NOFING !! ON VIENT D'TE DIRE !

TU PARLES ANGLAIS COMME UNE VACHE ESPAGNOLE, TOI !

14

UN FLINGUE. NO PROBLEM, MISTER!

QUEL CALIBRE?

SIG SAUER P 226. 9 MM PARABELLUM. DOUBLE ACTION. 15 COUPS.

C'EST PRÉCIS, ÇA AU MOINS. JE CONNAIS UN TYPE QUI DOIT AVOIR CE GENRE DE PRODUIT.

JE TE DÉPOSE, MISTER.

PAS TOUT DE SUITE, J'ATTENDS UN AMI.

COMME TU VEUX, J'SUIS COOL. MAIS ON ME PAYE AUSSI POUR ATTENDRE.

J'AI LES MOYENS D'ATTENDRE.

ALORS COMME ÇA, T'ES FRANÇAIS? ZIDANE! LA COUPE DU MONDE, TOUT ÇA!

EN GROS, OUAIS, MAIS JE SUIS PAS SUPER CALÉ SUR LE SUJET.

ÇA, C'EST BIEN VOUS, LES FRENCHIES. VOUS HUMILIEZ LA PLUS GRANDE ÉQUIPE DU MONDE, ET APRÈS VOUS FAITES CEUX QUI S'EN BATTENT LOS COJONES.

DÉSOLÉ.

TU PARLES BIEN FRANÇAIS POUR UN BÉLIZIEN.

NORMAL! MA MÈRE EST NÉE AUX ANTILLES.

J'AI ÉTUDIÉ À LA GUADELOUPE!

UN JOUR, J'IRAI À PARIS VOIR LA TOUR EIFF...

'SONT COMPLÈTEMENT TARÉS DANS CE PAYS!!

C'EST PAS TROP TÔT! ON COMMENÇAIT À RAMER SEC, NIVEAU CONVERSATION. 10 MINUTES DE PLUS ET ON ATTAQUAIT LA MÉTÉO DES PLAGES.

SI J'AVAIS COMPTÉ SUR TOI, J'Y SERAIS ENCORE! ILS M'ONT FOUTU À POIL, CES CINGLÉS! REGARDE MON SAC!!

PREMIER PRÉCEPTE DU VOYAGEUR AU LONG COURS, MADGID: APPRENDRE À FERMER SA GUEULE ET S'ADAPTER AUX COUTUMES LOCALES.

TU PARLES D'UNE COUTUME! ILS PASSENT LEURS SOIRÉES À MATER "MIDNIGHT EXPRESS" EN BOUCLE, SI TU VEUX MON AVIS.

ARISTIDE. CHAUFFEUR DE TAXI ET FAN DE FOOT.

C'EST QUI, LUI ?

EN PLUS, IL PARLE FRANÇAIS POUR GAGNER DU TEMPS.

FAN DE FOOT ? J'SUIS SÛR QUE VOUS AVEZ PARLÉ DE ZIDANE.

BELLE DÉDUCTION. LE MÉTIER COMMENCE À RENTRER.

ZIDANE ! ZIDANE ! PARTOUT OÙ ON VA, IL FAUT QU'ON NOUS PARLE DE LUI, CE N'EST PAS NON PLUS L'INVENTEUR DU TÉLÉPHONE PORTABLE !

PUTAIN, J'AI LES GLANDES ! IL COMMENCE MAL, CE VOYAGE !

ON VA OÙ ?

CHERCHER UN FLINGUE !

JE LAISSE TOUJOURS LE MIEN CHEZ MOI QUAND JE VOYAGE, UNE VIEILLE HABITUDE QUI M'ÉVITE LES TÊTE-À-TÊTE INTERMINABLES AVEC LES FANS DE "MIDNIGHT EXPRESS".

"MAÎTRE CORBEAU SUR UN ARBRE PER..."

TUUUT !

TUUUU...

EXCUSE-MOI.

OUI, ALLÔ !

AH ! C'EST VOUS ! ALORS ?

BIEN ! PARFAIT ! ET L'AVOCAT ?... MORT ? PARFAIT.

DÈS QU'IL RÉPOND, PRÉVENEZ-MOI SANS FAUTE. À BIENTÔT. C'EST ÇA.

ON REPREND...

ET TU VAS ME FAIRE LE PLAISIR DE T'APPLIQUER, PARCE QUE JE N'AI PAS TOUTE LA JOURNÉE !

16

IL.... IL VOUS VA COMME OUNE GANT...

C'EST... OUNE AFFAIRE EN OR.... JE PEUX VOUS FAIRE OUNE PÉTITE REMISE, SI VOUS VOULEZ...

AVEC PLAISIR. COMBIEN?

150 DOLLARS... JE NE PEUX PAS FAIRE MIEUX.

100! JE LE PRENDS!

PRIX D'AMI, ALORS...

VOILÀ!

LA GONZESSE GENRE JENNIFER LOPEZ, TU VOIS, LE MÊME CUL, PAREIL! BON, LA TRONCHE, MOINS, MAIS LE CUL, PAREIL!

ET LES SEINS?

PLUS GROS, LES SEINS! MÊME SI JE SUIS PAS SÛR QU'ILS SOIENT D'ORIGINE, BREF!

ET JE L'AI TIRÉE, LÀ, SUR LA BANQUETTE, TU VOIS? À FOND, MAN! LE STYLE DÉCONTRACTÉ, LIKE A SEX MACHINE! COMME DANS LES FILMS!

QUELS FILMS?

LES FILMS DE CUL, ÉVIDEMMENT! PAS LES FILMS DE KARATÉ!

TU L'AS TIRÉE? ELLES SONT PAS DIFFICILES, LES GONZESSES, ICI.

SANS BLAGUE, MAN. 15 DOLLARS! MÊME PAS!

AH OUAIS, D'ACCORD... T'AS PAYÉ. C'EST PAS LE GENRE DE NANAS DONT JE PARLAIS, TU VOIS.

TU VEUX BAISER SANS PAYER, TOI... HA! HA! T'ES UN MARRANT, MAN! TU VEUX TE MARIER, ALORS! LÀ, TU VAS RAQUER UN MAX ET LONGTEMPS! HA! HA!

SACRÉ FRENCHY!

LA SEULE INFORMATION QUE BULLET AVAIT PU ME FOURNIR ÉTAIT LA DERNIÈRE ADRESSE OÙ AVAIT SÉJOURNÉ SON CHER AVOCAT, ROLAND BILLARD. DANS UNE ENQUÊTE, C'EST SOUVENT LE CHOIX DE LA PISTE À SUIVRE QUI SE RÉVÈLE DÉTERMINANT. EN L'OCCURRENCE, LE CHOIX S'IMPOSAIT DE LUI-MÊME.

EN ROUTE, ARISTIDE.

OÙ ÇA?

HÔTEL CASAR, SI TU CONNAIS.

17

21

TONY!

WAHOW! C'EST FUNKY GRAVE AVEC VOUS, LES MECS, J'ADOOORE!

METS LE TURBO SI TU VEUX PAS FINIR EN CARPACCIO POUR LE SERVICE DU SOIR!

J'AI MIEUX QUE LE TURBO, MAN!

À FOND LES GAZ!!

C'EST QUOI COMME MÉLANGE?

JE SAIS PAS, MAN. LE MOINS CHER... MADE IN CHEZ MON BEAU-FRÈRE: CAOUTCHOUC, HUILE, CANNE À SUCRE. QUE DU LOCAL!

KOF KOF KOF BLAM

HIJO DE PUTA!

SUCKER!

FUCKER! FUCKER!

FUCKER!

MALDITOS!!

C'EST BON, ARISTIDE, TU PEUX LEVER LE PIED, ON LES A SEMÉS.

ON FAIT QUOI, MAINTENANT?

ON VA SE TROUVER UN PETIT COIN PEINARD POUR METTRE AU POINT UN PLAN B.

YES, MAN! ON VA PRENDRE L'APÉRO ET SE ROULER UN BON PETIT PÉT', HISTOIRE DE SOUFFLER UN PEU.

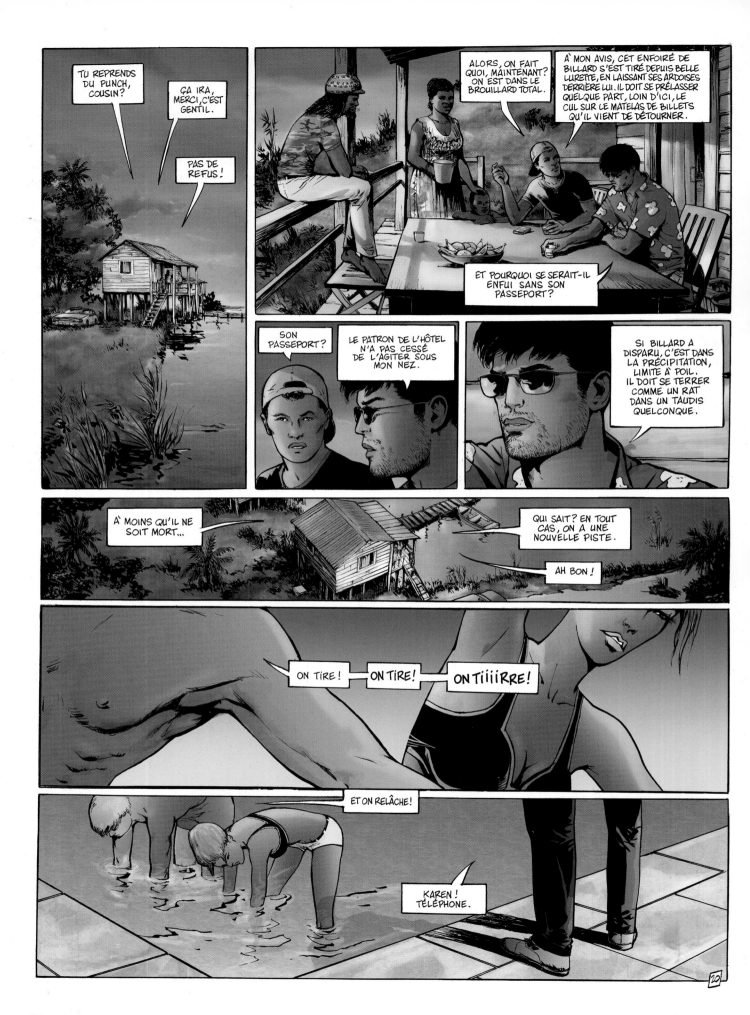

ALLÔ !

J'AI DU NOUVEAU SUR BILLARD. JE VOUS APPELLE COMME PRÉVU.

DES TYPES SONT PASSÉS CE MATIN À L'HÔTEL CASAR... ILS LE CHERCHAIENT.

COMBIEN ?

TROIS !

TU SAIS CE QU'ILS VOULAIENT ?

NON.

IL Y A EU UNE ALTER-CATION ENTRE EUX ET LE PATRON DE L'HÔTEL. ÇA A VITE DÉGÉNÉRÉ. ILS ONT RÉUSSI À SE BARRER DANS UN TAXI POURRI, C'EST TOUT CE QUE JE SAIS.

COMMENT ÉTAIENT CES TYPES ?

ILS AVAIENT L'AIR SÉRIEUX. MÊME SI L'UN D'EUX AVAIT UNE CHEMISE À FLEURS.

WARREN A TRÈS CER-TAINEMENT ENVOYÉ DES TYPES À LA RECHERCHE DE SON AVOCAT. C'ÉTAIT À PRÉVOIR. ON A BIEN FAIT DE TE LAISSER SUR PLACE.

IMPOSSIBLE DE SAVOIR OÙ ILS SONT PASSÉS.

ÇA N'A AUCUNE IMPORTANCE, AU CONTRAIRE, TANT QU'ILS S'ÉPUISENT À CHERCHER LE FANTÔME DE BILLARD, À TRAVERS TOUT LE BELIZE, ILS NE SONT PAS DANS NOS PATTES.

QU'EST-CE QUE JE FAIS ?

ON VA METTRE LA PRESSION SUR BULLET.

TU FAIS TA VALISE ET TU RENTRES À MARSEILLE.

AVEC 50 000 DOLLARS, UN CASIER VIERGE ET 4 SEMAINES DE PATIENCE, ON PEUT OBTENIR UN PASSEPORT BÉLIZIEN. IL SUFFIT D'EN FAIRE LA DEMANDE SUR INTERNET OU DIRECTEMENT SUR PLACE, À UNE SOCIÉTÉ FINANCIÈRE SPÉCIALISÉE DANS LA VENTE DE SOCIÉTÉS OFFSHORE.

QUEL NOM M'AVEZ-VOUS DIT ?

SELLING ! ART SELLING !

21

HÔTEL-PENSION "LE COLIBRI" : LOIN DE L'ARCHITECTURE MERINGUÉE DE L'HÔTEL CASAR, PLUS TYPIQUE...

BILLARD !

OU ART SELLING, PEU IMPORTE !

SON PASSEPORT EST ARRIVÉ, J'AIMERAIS LUI REMETTRE EN MAIN PROPRE.

QUELLE CHAMBRE ?

PALOMA !

JE LA SUIS. PERSONNE NE BOUGE EN ATTENDANT.

T'INQUIÈTE, MAN.

VLAM !

?!

FIN DU VOYAGE, BILLARD ! ON PEUT DIRE, SANS EXAGÉRER, QUE TU M'AURAS FAIT CAVALER !

SPLASH!

JE SOUHAITAIS METTRE EN PLACE UN SYSTÈME DE COMPENSATION À GRANDE ÉCHELLE.

C'EST-À-DIRE?

"LA COMPENSATION" EST L'ARME ABSOLUE DANS NOTRE MÉTIER POUR ASSURER LES TRANSFERTS D'ARGENT LIQUIDE EN TOUTE DISCRÉTION. IL SUFFIT DE TROUVER QUELQU'UN QUI A DU CASH À PLACER. EN L'OCCURRENCE, JE VENAIS DE TROUVER LA PERLE RARE, CELLE QU'ON ESPÈRE TOUTE UNE CARRIÈRE.

J'ADORE CAUSER AVEC UNE JOLIE FEMME. OUTRE LA RECHERCHE DE CLIENTS POTENTIELS, C'EST L'UN DES PRINCIPAUX PLAISIRS DE CES RENDEZ-VOUS SURFAITS. MAIS JE M'ÉGARE...

ELLE POSSÉDAIT 40 MILLIONS D'EUROS EN LIQUIDE, ISSUS DE DIVERS TRAFICS DE DROGUE, ARMES OU AUTRES... ACTIVITÉS LUCRATIVES, DONT L'INCONVÉNIENT PRINCIPAL EST...

...DE VOUS EMPÊCHER DE JOUIR DE VOTRE ARGENT EN TOUTE SÉRÉNITÉ.

ELLE M'A ÉTÉ PRÉSENTÉE AU BAL DE LA ROSE, À MONACO, L'UN DES MULTIPLES RAOUTS MONDAINS INCONTOURNABLES POUR TOUT BON GESTIONNAIRE QUI SE RESPECTE. JE NE ME SUIS PAS MÉFIÉ, ELLE ÉTAIT ACCOMPAGNÉE PAR UN POLITICARD DU COIN, UN DÉPUTÉ DONT J'AI OUBLIÉ LE NOM. ENFIN, PEU IMPORTE...

40 MILLIONS D'EUROS À BLANCHIR... SOIT L'ÉQUIVALENT DE LA PRESQUE TOTALITÉ DES ÉCONOMIES DE MON CLIENT, WARREN BULLET. J'AI MORDU À L'HAMEÇON. L'OCCASION ÉTAIT TROP BELLE. AINSI, JE LUI AI PROPOSÉ CE QU'ON APPELLE DANS NOTRE JARGON CE FAMEUX SYSTÈME DE "COMPENSATION".

LE PRINCIPE EST SOMME TOUTE ASSEZ SIMPLE: JE FAIS PASSER LES MULTIPLES SOCIÉTÉS OFF-SHORE, ABRITANT LA FORTUNE DE BULLET, SOUS LE CONTRÔLE DES SOCIÉTÉS PRÊTE-NOMS, GÉRÉES PAR CETTE PARTENAIRE POTENTIELLE. CE TRANSFERT EST ALORS "COMPENSÉ" PAR LA SOMME ÉQUIVALENTE EN LIQUIDE, QU'ELLE DOIT ME REMETTRE EN MAIN PROPRE, VOUS ME SUIVEZ? ENSUITE, JE PLACE CE LIQUIDE SUR DIVERS COMPTES SUISSES, COUVERTS PAR LE SECRET BANCAIRE, ET LE TOUR EST JOUÉ. WARREN BULLET, CITOYEN AMÉRICAIN HARCELÉ PAR LE FISC, SE RETROUVE EN TOUTE LÉGALITÉ À LA TÊTE D'UNE FORTUNE DONT IL EST IMPOSSIBLE DE RETROUVER L'ORIGINE.

DE SON CÔTÉ, LE COMPENSA-TEUR, EN L'OCCURRENCE CETTE CLIENTE, EST DÉSORMAIS PROPRIÉTAIRE DE SOCIÉTÉ PARFAITEMENT LÉGALE, DONT LA VALEUR ÉQUIVAUT À LA SOMME QU'ELLE SOUHAITAIT BLANCHIR, ET PEUT AINSI PROFITER AU GRAND JOUR DE SA FORTUNE. MAGIQUE! CE TYPE D'OPÉRATION EST BANAL, MAIS RAREMENT UTILISÉ À PAREILLE ÉCHELLE.

OUTRE LE FAIT QUE WARREN POUVAIT DÉSORMAIS FAIRE FRUCTIFIER SA FORTUNE LOIN DE LA VORACITÉ DU FISC AMÉRICAIN, JE PRENDS 5% SUR CE TYPE DE SERVICE. VOUS COMPRENEZ POURQUOI J'AI TOUT MIS EN ŒUVRE POUR LE CONVAINCRE DE SE LAISSER TENTER. LE SEUL OBSTACLE À CETTE TRANSACTION MIRACULEUSE ÉTAIT SA PEUR VISCÉRALE DE L'AVION.

IL VOUS A DONC ENVOYÉ SON FILS.

EXACTEMENT. ON S'EST RENDUS À BELIZE CITY POUR CONCLURE L'AFFAIRE.

J'AI VU MIEUX COMME CENTRE D'AFFAIRES...

QUE SAVEZ-VOUS DES AFFAIRES, MONSIEUR BULLET? SEUL COMPTE LE RÉSULTAT. LE DÉCORUM IMPORTE PEU.

26

C'EST VRAI QUE LE LIEU DE RENDEZ-VOUS ÉTAIT QUELQUE PEU SINGULIER, ET ENCORE, C'EST UN EUPHÉMISME.

COMME JE L'AI DIT À VOTRE PÈRE, CETTE OPÉRATION NÉCESSITE UNE CONFIDENTIALITÉ ABSOLUE. FAITES-MOI CONFIANCE, COMME CELA A TOUJOURS ÉTÉ LE CAS, VOUS NE SEREZ PAS DÉÇU.

C'EST LÀ QUE J'AURAIS DÛ ME MÉFIER...

C'ÉTAIT DES DINGUES ! DE GRANDS MALADES ! COMPLÈTEMENT GIVRÉS ! SURTOUT ELLE !

VOUS AVEZ FAIT BON VOYAGE, MONSIEUR BULLET ?

ENTREZ ! METTEZ-VOUS À L'AISE !

L'AMBIANCE GLAMOUR DE NOTRE PREMIÈRE RENCONTRE N'ÉTAIT PLUS VRAIMENT D'ACTUALITÉ.

EN MÊME TEMPS, ON NE SE BALADE PAS AVEC 40 MILLIONS D'EUROS EN LIQUIDE SANS JAMAIS QUITTER SES DRAPS DE SOIE. C'EST CE QUE JE ME SUIS DIT, COMME UN CON.

AU DÉBUT, POURTANT, TOUT S'EST BIEN PASSÉ...

J'AI MIS EN PLACE LE TRANSFERT DES COMPTES, COMME PRÉVU.

VOILÀ, TOUT EST RÉGLÉ. IL NE MANQUE PLUS QUE LES CODES POUR VIRER L'ARGENT, MONSIEUR BULLET.

JE NE MARCHE PAS...

JE DEVAIS M'ENVOLER LE LENDEMAIN POUR PAPEETE, AVEC DE NOUVEAUX PAPIERS ET 2 MILLIONS D'EUROS. C'EST LÀ QUE TOUT A DISJONCTÉ...

IL NE MARCHE PAS. COMME C'EST TOUCHANT...

CLAC!

VOUS DÉBUTEZ EN AFFAIRES, MON PETIT. VOUS ÊTES MIGNON.

JE N'AI PAS CONF...

TA GUEULE, PETITE MERDE ! JE ME TAMPONNE DE TES ÉTATS D'ÂME !!

TU CROIS PEUT-ÊTRE QU'ON T'A FAIT VENIR ICI POUR TE DEMANDER TON AVIS ?!

VENCESLAV !

TOUT EST PARTI EN VRILLE. MAIS J'AI COMME L'IMPRESSION QUE C'ÉTAIT PRÉVU.

27

LE GAMIN A FINI PAR LÂCHER LES CODES, APRÈS QU'IL LUI A PÉTÉ UNE ROTULE ET COUPÉ DEUX DOIGTS. COURAGEUX, CE P'TIT CON, TOUT DE MÊME...

AAA...-A...B... 46... 65T...

J'AI FAIT LES TRANSFERTS. INUTILE DE VOUS PRÉCISER QU'ILS N'AVAIENT PAS UN PET' DE LIQUIDE SUR EUX... C'ÉTAIT UN COUP MONTÉ.

C'EST BON ?

C'EST BON.

EMMENEZ-LE !

OK ! ET QU'EST-CE QU'ON FAIT DE BILLARD, KAREN ?

QU'EST-CE QUE TU VIENS DE DIRE ?

QU'EST-CE QU'ON FAIT DE BILLARD, KA...

TRANCHE !!

ARRGL !

NE JAMAIS PRONONCER MON PRÉNOM DEVANT DES INCONNUS, C'EST LA RÈGLE ! COMBIEN DE FOIS FAUDRA-T-IL QUE JE LE RÉPÈTE ?!

ELLE L'A ÉGORGÉ SOUS MES YEUX ! UNE CINGLÉE, J'VOUS DIS !

J'AI PAS RÉFLÉCHI UNE SECONDE...

J'AI EU DU BOL !

SCRATCH !

神

?!

28

J'AI EU UN VRAI PUTAIN DE BOL !!

VLAM!

LÀ !

SA VESTE.

SHIT ! ELLE EST CASSÉE ! UNE ROLEX À 30 000 BALLES !

IL N'Y A PLUS RIEN DE VIVANT LÀ-DESSOUS. IL A ÉTÉ PULVÉRISÉ COMME LES AUTRES.

T'AS RAISON... FILONS AVANT QUE LES FLICS DU COIN SE POINTENT.

ENFIN, DU BOL... FAÇON DE PARLER.

VOILÀ.

J'AI RÉUSSI À ME FAIRE SOIGNER PAR UN MÉDECIN LOCAL PAS TROP CURIEUX.

J'AI PRÉFÉRÉ NE PAS REPASSER À L'HÔTEL CASAR CHERCHER MES PAPIERS. TROP RISQUÉ.

JE SUIS ALLÉ VIDER MON COMPTE PERSO, ET J'ATTENDAIS, TRANQUILLE, MON NOUVEAU PASSEPORT, AVANT QUE VOUS NE DÉBARQUIEZ.

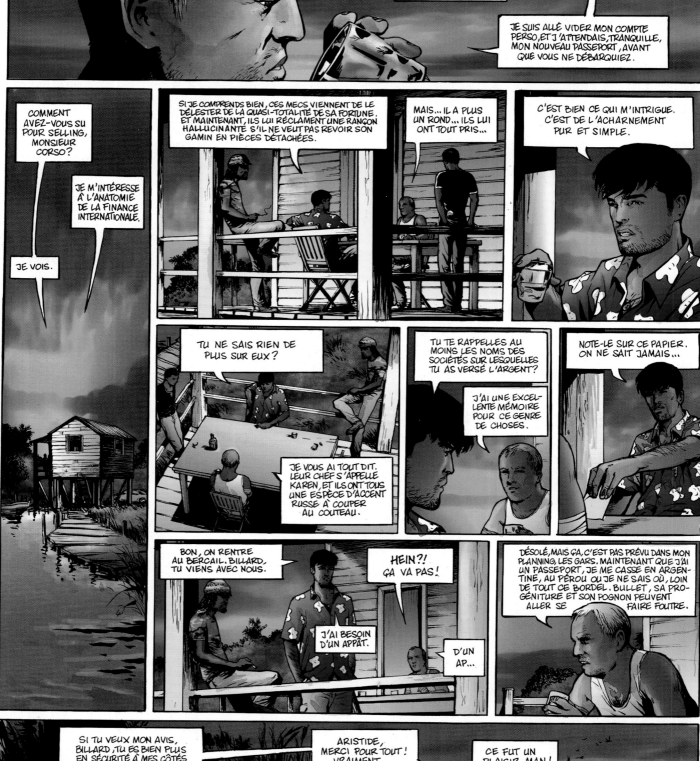

COMMENT AVEZ-VOUS SU POUR SELLING, MONSIEUR CORSO ?

JE M'INTÉRESSE À L'ANATOMIE DE LA FINANCE INTERNATIONALE.

JE VOIS.

SI JE COMPRENDS BIEN, CES MECS VIENNENT DE LE DÉLESTER DE LA QUASI-TOTALITÉ DE SA FORTUNE. ET MAINTENANT, ILS LUI RÉCLAMENT UNE RANÇON HALLUCINANTE S'IL NE VEUT PAS REVOIR SON GAMIN EN PIÈCES DÉTACHÉES.

MAIS... IL A PLUS UN ROND... ILS LUI ONT TOUT PRIS...

C'EST BIEN CE QUI M'INTRIGUE. C'EST DE L'ACHARNEMENT PUR ET SIMPLE.

TU NE SAIS RIEN DE PLUS SUR EUX ?

JE VOUS AI TOUT DIT. LEUR CHEF S'APPELLE KAREN, ET ILS ONT TOUS UNE ESPÈCE D'ACCENT RUSSE À COUPER AU COUTEAU.

TU TE RAPPELLES AU MOINS LES NOMS DES SOCIÉTÉS SUR LESQUELLES TU AS VERSÉ L'ARGENT ?

J'AI UNE EXCELLENTE MÉMOIRE POUR CE GENRE DE CHOSES.

NOTE-LE SUR CE PAPIER. ON NE SAIT JAMAIS...

BON, ON RENTRE AU BERCAIL. BILLARD, TU VIENS AVEC NOUS.

J'AI BESOIN D'UN APPÂT.

HEIN ?! ÇA VA PAS !

D'UN AP...

DÉSOLÉ, MAIS ÇA, C'EST PAS PRÉVU DANS MON PLANNING, LES GARS. MAINTENANT QUE J'AI UN PASSEPORT, JE ME CASSE EN ARGENTINE, AU PÉROU OU JE NE SAIS OÙ, LOIN DE TOUT CE BORDEL. BULLET, SA PROGÉNITURE ET SON POGNON PEUVENT ALLER SE FAIRE FOUTRE.

SI TU VEUX MON AVIS, BILLARD, TU ES BIEN PLUS EN SÉCURITÉ À MES CÔTÉS QUE SUR N'IMPORTE QUEL ATOLL PERDU DU BOUT DU MONDE.

ARISTIDE, MERCI POUR TOUT ! VRAIMENT.

CE FUT UN PLAISIR, MAN !

30

TONY, JE PEUX TE POSER UNE QUESTION ?

OUAIS ?

À L'ORIGINE, ON EST VENUS POUR RETROUVER STEVE BULLET. TU PEUX ME DIRE POURQUOI ON RENTRE ?

OUAIS !

T'AS LA PHOTO DU GAMIN ?

JETTE UN ŒIL DESSUS.

ET ALORS ? C'EST JUSTE UN MEC LIGOTÉ DANS UNE CAVE. JE VOIS PAS EN QUOI...

REGARDE SUR LA GAUCHE. IL Y A UNE CANALISATION AVEC UN TRUC GRAVÉ DESSUS.

G...D...F...

GDF, EXACTEMENT. AUTREMENT DIT : GAZ DE FRANCE.

AH OUAIS ! PUTAIN, J'AVAIS PAS VU !

C'EST UN MÉTIER.

KING

IL Y A UN AUTRE TRUC QUE JE PIGE PAS, TONY...

QUOI DONC ?

SI TU SAVAIS QUE STEVE BULLET ÉTAIT EN FRANCE, QU'EST-CE QU'ON EST ALLÉS FOUTRE AU BELIZE, À PART PARLER CINOCHE ?

RAMENER BILLARD. ET UN DÉBUT DE PISTE. PARCE QUE DES CAVES AVEC DES CANALISATIONS, C'EST PAS ÇA QUI MANQUE...

UNE PISTE ? QUELLE PISTE ?

KAREN ! C'EST DÉJÀ PAS SI MAL, NON ?

WWHIIIII

J'ALLAIS PLANQUER BILLARD CHEZ MOI, LE TEMPS DE VÉRIFIER SI MON INTUITION ÉTAIT LA BONNE.

31

ENVIRONS DE SAINT-TROPEZ, UN JOUR PLUS TARD.

C'EST COMME SI ON L'AVAIT DESSINÉE AUTOUR DE VOUS. ELLE VOUS VA COMME...

C'EST BON, CARLOS ! ÉPARGNE-MOI TON BARATIN !

J'AI REPROGRAMMÉ LE BOÎTIER MOTOTRONIC ECU-7. 8 ET LES TURBOS D'ORIGINE ONT ÉTÉ REMPLACÉS PAR DES MODÈLES KKK 24/26 AFIN D'OBTENIR 88 CHEVAUX SUP...

ÇA ME FAIT UNE BELLE JAMBE !

FAIS VOIR LES ESSUIE-GLACES !

PARFAIT ! QU'EST-CE QUE T'EN DIS, TONY ?

PARFAIT !

COMMENT ÇA S'ARRÊTE, CARLOS ?

LE PETIT BRAS À DROITE, LÀ ...

C'EST BON ! C'EST BON ! DÉGAGE !

VA SUER AILLEURS ET PRÉPARE LA FACTURE.

TU DISAIS ?

KAREN ! CE NOM TE DIT QUELQUE CHOSE ?

PEUT-ÊTRE. POURQUOI ?

C'EST LE PRÉNOM DE LA CHEF D'UNE BANDE DE TORDUS QUI HARCÈLENT UN DE MES CLIENTS. ILS ONT TOUS UN VAGUE ACCENT RUSSE, YOUGO OU QUELQUE CHOSE COMME ÇA.

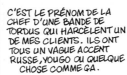

HONGROIS.

OU JE DEVRAIS PLUTÔT DIRE HONGROISE ! KAREN NOVACEK ! CETTE SALOPE EST DE RETOUR.

NOVACEK ! COMME LES DEUX FRÈRES QUI ONT ABATTU SCOTTI, IL Y A DIX ANS.

OUAIS. DEUX FRÈRES ET LEUR SŒUR AÎNÉE. CES FILS DE PUTE ONT, COMME TU LE SAIS, TENTÉ D'INVESTIR MON TERRITOIRE À CETTE ÉPOQUE. TU AS DESSOUDÉ WOJDEK, LE PLUS JEUNE, MAIS LES DEUX AUTRES SE SONT REFAIT UNE SANTÉ DU CÔTÉ DE MARSEILLE.

OÙ EST CE PUTAIN DE KLAXON ?

32

QUAND TU DIS QU'ILS SONT DE RETOUR, TU FAIS ALLUSION À QUOI ?

UN DE MES HOMMES INFILTRÉ DANS LE MILIEU MARSEILLAIS LES A APERÇUS DANS L'ARRIÈRE-SALLE D'UN RADE DE NUIT, EN COMPAGNIE DE CE SALOPARD DE SUSINI.

PON-PON !

SYMPA, COMME TIMBRE, NON ?

UN PEU POUSSIF.

QUI EST SUSINI ?

UN POLITICARD VÉREUX, DÉPUTÉ DE LA CIRCONSCRIPTION. IL A CONSTRUIT SA CARRIÈRE SUR LE CLIENTÉLISME ET LES POTS-DE-VIN. LA JUSTICE L'A D'AILLEURS EN LIGNE DE MIRE, POUR UNE HISTOIRE D'ABUS DE BIENS SOCIAUX. J'IGNORE CE QU'IL MAGOUILLE AVEC LES NOVACEK, MAIS JE N'AIME PAS ÇA DU TOUT.

PON! PON!

C'EST VRAI QU'IL EST POUSSIF, CE KLAXON.

KLAXON MIS À PART, ET MÊME SI JE N'Y CONNAIS RIEN, ELLE A DE LA GUEULE. JE SERAIS TOI, JE N'HÉSITERAIS PAS UNE SECONDE.

MERCI, MAX.

CARLOS !

SUSINI... MON INTUITION AVAIT DÉSORMAIS UN NOM.

TONY !

OUI, MAX.

TIENS-MOI AU COURANT. SI D'AVENTURE, JE PEUX TE DONNER UN PETIT COUP DE MAIN POUR PLIER TON AFFAIRE ET NETTOYER LE PAYSAGE, TOUT LE PLAISIR SERA POUR MOI.

C'EST NOTÉ. MERCI ENCORE.

PAS DE QUOI.

ET ALORS !? C'EST QUOI, CE PUTAIN DE KLAXON DE RETRAITÉ ?

RETOUR À LA CASE DÉPART. RIEN N'AVAIT BOUGÉ, LES YACHTS DE LUXE CONTINUAIENT À BOMBER LEUR TORSE DEVANT LES MANGEURS DE GLACES, HEUREUX D'AVOIR RÉUSSI À GARER LEUR ESPACE FAMILIAL À MOINS D'UN KILOMÈTRE DU PORT.

ALLÔ ?

TONY, MON TRÉSOR ! COMME C'EST GENTIL DE TE RAPPELER LE NUMÉRO DE LA VIEILLE AMIE ! TU VEUX PASSER FAIRE UN SAUT ? NOUS SOMMES SUR LE YACHT DU PRINCE KIAN ELMAL...

J'AI JUSTE BESOIN D'UN PETIT SERVICE, ANÉMONE.

33

SUSINI. CE NOM TE DIT QUELQUE CHOSE?

HENRI! BIEN SÛR! POURQUOI?

JE SOUHAITE LE RENCONTRER. TU PEUX ME DONNER SON ADRESSE ET, SI POSSIBLE, ME DIRE COMMENT LE JOINDRE?

DEPUIS QUAND TU T'INTÉRESSES À LA POLITIQUE, TOI?

ANÉMONE DE COURVILLE M'ÉTONNERAIT TOUJOURS AUTANT. SON CARNET D'ADRESSES NE SEMBLAIT CONNAÎTRE AUCUNE LIMITE.

HENRI SUSINI, DÉPUTÉ DE LA CIRCONSCRIPTION, POSSÉDAIT UNE VILLA SUR LA COMMUNE DE GASSIN, À QUELQUES ENCÂBLURES DE SAINT-TROPEZ.

IL NE ME RESTAIT PLUS QU'À ÉTABLIR LE LIEN ENTRE LES NOVACEK, IMPLANTÉS SUR MARSEILLE, À L'ORIGINE DE TOUTE CETTE AFFAIRE, ET CE NOTABLE LOCAL AU PARCOURS SINUEUX.

ALORS, LE BELIZE?

SYMPA. DIFFICILE DE SE FAIRE COMPRENDRE, MAIS SYMPA.

ET PUIS DES FILLES SUBLIMES À PERTE DE VUE.

SANS BLAGUE!

DÉSOLÉ, NADIA, MAIS MOI, JE NE SUIS PAS "MAQUÉ" COMME TONY. JE PROFITE.

TU AS BIEN RAISON, MON GRAND. POUR TA CULTURE GÉNÉRALE, SACHE QUE TONY FAIT BIEN CE QU'IL VEUT DE SES VACANCES, DU MOMENT QU'IL NE ME RAMÈNE PAS SES PÉTASSES DANS MON PÉRIMÈTRE.

HA... ET TOI, TU...

ON SE RESPECTE. C'EST DÉJÀ PAS SI MAL.

D'ACCORD...

C'EST ORIGINAL, COMME CONCEPT. C'EST GÉOGRAPHIQUE, EN FAIT?

TU PEUX LE RÉSUMER COMME ÇA...

DONC, SI TOI ET MOI ON S'ÉLOIGNE SUFFISAMMENT DE...

LA GÉOGRAPHIE NE FAIT PAS TOUT, MADGID!

TU PENCHES DANGEREUSEMENT, MON POTE!

À MON AVIS, TU N'AS PAS ÉVALUÉ TOUS LES PARAMÈTRES DE TA MANŒUVRE AVEC LUCIDITÉ.

?!

TONY... T'ES EN RETARD.

DÉSOLÉ, NADIA. J'ESPÈRE QUE LE TEMPS NE T'A PAS PARU TROP LONG.

PENSES-TU! ON PARLAIT GÉOGRAPHIE.

OÙ EST BILLARD ?

SOUS LA DOUCHE.

JE VAIS PRENDRE UNE CHEMISE ET ON VA DÎNER, OK ?

ET MOI, JE FAIS QUOI ?

QUARTIER LIBRE, CHER ASSOCIÉ. DÉJÀ QUE JE VOUS HÉBERGE, M'EN DEMANDE PAS TROP NON PLUS. TU POURRAS TOUJOURS TAPER LE CARTON AVEC BILLARD.

À CE PROPOS, NADIA, JE PEUX DORMIR CHEZ TOI ?

TROIS MECS DANS LA MÊME CHAMBRE, C'EST PAS MON TRUC.

POUR DE L'ITALIEN, C'EST PAS TRÈS BAVARD !

?!

QU'EST-CE...

LÀ ! SUR CETTE CARTE POSTALE DE CUBA ! "TUTTO VA BENE".

VOUS AVEZ DES AMIS D'UNE INCROYABLE CONCIS...

...¡¡¡ONN!!

PAF !

ÇA VA PAS LA T...

SALE PETIT FOUILLE-MERDE !!

35

J'ALLAIS JUSTEMENT VOUS APPELER. L'ENQUÊTE PROGRESSE À GRANDS PAS. J'AI DÉJÀ RÉCUPÉRÉ VOTRE ABRUTI D'AVOCAT!

TANT MIEUX.

JE ME PERMETS DE VOUS JOINDRE CAR LA SITUATION VIENT DE PRENDRE UNE NOUVELLE TOURNURE. JE SUIS TRÈS INQUIET.

ILS COMMENCENT À METTRE LEURS MENACES À EXÉCUTION, SI VOUS VOYEZ CE QUE JE VEUX DIRE...

EXACTEMENT.

UN DOIGT. ET UNE PHOTO POUR L'ATTESTER.

BON !

CHANGEMENT DE PROGRAMME ! ON VA PASSER À LA VITESSE SUPÉRIEURE !

CETTE BANDE DE TORDUS COMMENCE À ME TAPER SUR LE SYSTÈME !... MADGID, BILLARD ! SOULEVEZ VOS MICHES, ON VA RENDRE VISITE À QUELQU'UN.

DÉSOLÉ POUR CE SOIR, NADIA.

ÇA TE DÉRANGE SI ON EMPRUNTE TA VOITURE ?

SI TU ME LA RAMÈNES DANS LE MÊME ÉTAT, PAS DE PROBLÈME.

TU ME CONNAIS !

JUSTEMENT !

TU VEUX QU'ON TE DÉPOSE CHEZ TOI, PEUT-ÊTRE ?

J'ESPÈRE BIEN !

ET NOUS, TONY ? ON N'A PAS DE FLINGUE ?

PAS LA PEINE. ON VA FAIRE APPEL À L'ARTILLERIE LOURDE.

À TAAABLE!

J'ARRIVE, MA CHÉRIE, J'AI TERMINÉ.

HENRI SUSINI ?

?!

DÉSOLÉ, HENRI, MAIS VA FALLOIR SAUTER UN REPAS ! J'AI UNE URGENCE, ET J'AI BESOIN DE TOI.

QU... QUI...?

TONY CORSO. JE TRAVAILLE POUR WARREN BULLET. TU CONNAIS, JE PARIE ?

COMMENT OSEZ-VOUS ? VOUS NE SAVEZ PAS QUI JE SUIS...

MAIS SI, MAIS SI, T'INQUIÈTE...

FAIS VOIR !

VOUS ÊTES FOU...

T'AS L'HABITUDE, NON ? MON PETIT DOIGT M'A DIT QU'IL Y A QUELQUES FÊLÉS QUI TRAVAILLENT POUR TOI. BOUGE PAS, SURTOUT, J'ENTRETIENS DES RAPPORTS COMPLIQUÉS AVEC LA POLITIQUE.

ALORS, VOYONS VOIR ÇA : "HOLIDAY-LAND"! JOLI TITRE !

VOUS LE REGRETTEREZ...

MAIS OUI...

MANGEZ, TANT QUE C'EST CHAUD ! HENRI VA AVOIR UN PEU DE RETARD.

C'EST BIEN CE QUE JE PENSAIS !

ALLEZ ! LÈVE-TOI ! IL EST TEMPS DE CONCLURE L'AFFAIRE !

ON VA OÙ ?

MARSEILLE !

PUTAIN ! C'EST SUPER LOIN ! ON VA MOURIR ÉTOUFFÉS, À QUATRE DANS CETTE CAISSE !

MADGID ! TIENS LE FLINGUE DEUX MINUTES. J'AI UN COUP DE FIL À PASSER.

DES NOUVELLES DE BULLET ?

ON LUI A ENVOYÉ LE COLIS, À MON AVIS, IL NE VA PAS TARDER À CRAQUER.

J'AI APPELÉ SUSINI POUR QU'IL LUI FASSE UNE NOUVELLE OFFRE.

PARFAIT !

TU ES BELLE.

JE SAIS, MAIS JE SUIS TA SŒUR, SALE PETIT PERVERS !

MA GRANDE ET BELLE SŒUR...

SI TU VOULAIS, ON POURRAIT PARTAGER ENCORE PLUS DE SENSA...

VIRE TES MAINS DE LÀ !! JE NE SUPPORTE PAS QU'ON ME TOUCHE, TU LE SAIS !

?!

DRRRRr

ON ATTEND QUELQU'UN ?

JE VAIS VOIR...

39

QU'EST-CE QUI SE PASSE?

C'EST SUSINI. IL EST AU PORTAIL.

T'ES SÛR?

QUASIMENT!

SUSINI?...

C'EST MOI! IL FAUT QUE JE PARLE À QUI VOUS SAVEZ...

ÇA VA PAS?! QU'EST-CE QUI VOUS PREND?

C'EST URGENT, J'AI DES INFORMATIONS INQUIÉTANTES CONCERNANT NOTRE AFFAIRE...

ÇA NE POUVAIT PAS ATTENDRE? VOUS SAVEZ TRÈS BIEN QU'IL N'ÉTAIT PLUS QUESTION DE SE RENCONTRER AVANT D'AVOIR CONCLU LE...

DITES À KAREN QU'IL FAUT QUE JE LA VOIE CE SOIR... C'EST **TRÈS** IMPORTANT!

OUVRE-LUI!

VOUS ÊTES MALADE! COMBIEN DE FOIS ON VOUS A DIT DE NE PAS PRONONCER SON N...

BONK!

LÂCHE TON ARME!

IMPEC', MADGID. UN PEU BALÈZE, TOUT DE MÊME, LE PROJECTILE...

MOI, ON ME DIT D'ASSOMMER, J'ASSOMME.

ÇA VA. IL EST ENCORE CONSCIENT!

HHH...

ON Y VA COMME PRÉVU. SUSINI, PASSE DEVANT. BILLARD, TU FERMES LA MARCHE, ET TU LAISSES LE PORTAIL OUVERT.

C'EST NAZE!

SI TU ZAPPES ENCORE UNE FOIS... JE T'EXPLOSE LA GUEULE...

QUELQU'UN VEUT UNE AUTRE BIÈRE?

MOI!

QU'EST-CE QUI SE PASSE?

ÇA VIENT DU SOUS-SOL!

ANDREÏ, KALHED, VOUS RESTEZ AVEC MOI, LES AUTRES, ALLEZ VOIR!

MAGNE-TOI, MADGID! LES AUTRES VONT NOUS TOMBER DESSUS D'UNE MINUTE À L'AUTRE!

EHO! J'AI QUE DEUX MAINS...

QU'EST-CE QU'ILS FOUTENT?

RATAT

BLAM

OW!

BLAM
RATATAT
BLAM

BAM BAM!

BLAM! BLAM!
BLAM
RATA
RATATAT

BAM

TING!

SIX!... COMMENT IL FAIT ÇA TOUT SEUL?

C'EST BON! CESSEZ LE FEU!

ÇA VA, TONY? RIEN DE CASSÉ?

DÉSOLÉ! IMPOSSIBLE DE SE GARER DANS CE QUARTIER À LA CON!

ÇA VA... LE TIMING ÉTAIT UN PEU LIMITE.

44

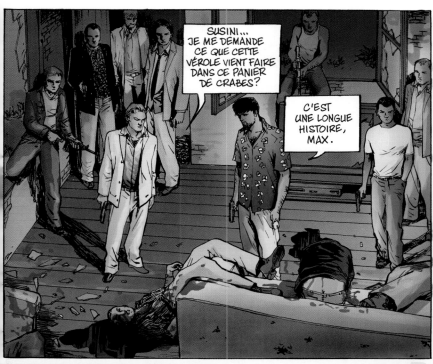

SUSINI... JE ME DEMANDE CE QUE CETTE VÉROLE VIENT FAIRE DANS CE PANIER DE CRABES?

C'EST UNE LONGUE HISTOIRE, MAX.

ET, BIEN ENTENDU, TU NE VAS PAS ME LA RACONTER...

BIEN ENTENDU.

À MON AVIS, IL RESTE ENCORE QUELQUES CAFARDS À L'ÉTAGE. LUIGI, FRANCIS, VOUS SURVEILLEZ L'EXTÉRIEUR.

AMOS, DIDI, AVEC MOI PAR L'ESCALIER.

VOUS NE BOUGEZ PAS!

MADGID, BILLARD, ESSAYEZ DE TROUVER LE GAMIN, J'AI ENCORE UNE COURSE À FAIRE.

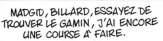

VU LA HAUTEUR, JE SERAIS VOUS, J'Y RÉFLÉCHIRAIS À DEUX FOIS, KAREN.

?!!

SUSINI EST MORT, VOTRE FRÈRE ET TOUTE LA CLIQUE IDEM. LÂCHEZ VOTRE ARME.

QUI ÊTES-VOUS ?

UN AMI DE MAX SALADIN.

IL LUI TARDE DE FAIRE VOTRE CONNAISSANCE, APRÈS TOUTES CES ANNÉES. POSEZ VOTRE ARME, JE VOUS DIS.

C'EST BON, BILLARD. JE VIENS DE TROUVER "BULLET JUNIOR"!

46

50

TONY!

DÉSOLÉ, MAX...

ELLE A SAUTÉ.

ELLE A SAUTÉ.

ET MERDE!

ELLE EST COMPLÈTEMENT GIVRÉE.

TU CROIS QU'ELLE S'EN EST TIRÉE?

IL Y A AU MOINS 20 MÈTRES D'À-PIC, SANS COMPTER LES ROCHERS. UNE CHANCE SUR MILLE QU'ELLE AIT PU S'EN SORTIR... BON...

ON VA PAS PLONGER POUR VÉRIFIER, DE TOUTE FAÇON.

ALLEZ, ON RAMASSE NOS AFFAIRES ET ON DÉCAMPE... LES FLICS VONT DÉBARQUER D'UNE MINUTE À L'AUTRE.

48

COMMISSAIRE CHRISTINI?

TOUJOURS À VOUS BALADER SANS CASQUE, CORSO! UN JOUR, JE VOUS COLLERAI UNE PRUNE!

C'EST LE PRIX DE LA LIBERTÉ, COMMISSAIRE.

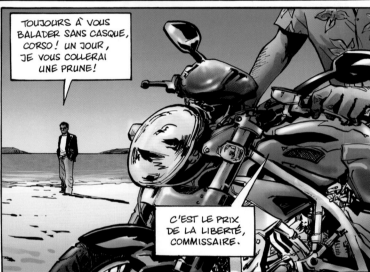

BESOIN DE PRENDRE LE LARGE, LOIN DE VOTRE CHER INSPECTEUR LAZARE? RIEN DE TEL QUE LE SOUFFLE DES EMBRUNS.

JE BOSSE, CORSO, JE BOSSE... VOUS TOMBEZ BIEN, D'AILLEURS.

JE VIENS DE RENDRE VISITE À UN CERTAIN WARREN BULLET. VOUS CONNAISSEZ? IL POSSÈDE UNE SUPERBE PROPRIÉTÉ À DEUX PAS D'ICI.

J'EN AI ENTENDU PARLER. L'ANCIENNE MAISON DE SARAH BERNHARDT, SI JE NE M'ABUSE. IL LUI EST ARRIVÉ QUELQUE CHOSE?...

À LUI, RIEN, SI JE ME FIE À SES DÉCLARATIONS...

MAIS SON NOM APPARAÎT DANS UNE AFFAIRE, SOMME TOUTE, ASSEZ CURIEUSE...

TIENS DONC!

UN HOMME POLITIQUE DU COIN A ÉTÉ RETROUVÉ AU MILIEU D'UNE PILE DE CADAVRES, DANS UNE VILLA MARSEILLAISE... HENRI SUSINI. IL ÉTAIT CORROMPU JUSQU'À L'OS, MAIS ÇA FAIT QUAND MÊME UN PEU DÉSORDRE.

QUEL RAPPORT AVEC BULLET?

LES TYPES CHEZ QUI ON L'A RETROUVÉ, LE CLAN NOVACEK, UN DES GANGS DU MILIEU MARSEILLAIS, ÉTAIENT VISIBLEMENT EN AFFAIRES AVEC LUI. ÇA NE M'ÉTONNE QU'À MOITIÉ, VU LA RÉPUTATION DE SUSINI.

EN AFFAIRES?

OUAIS! ET CESSEZ DE PRENDRE CET AIR ÉTONNÉ, ÇA ME POMPE L'AIR!

ON A RETROUVÉ DEUX DOSSIERS IDENTIQUES SE RAPPORTANT À UN PROJET IMMOBILIER DE GRANDE ENVERGURE, CHEZ SUSINI ET CHEZ LES NOVACEK : "HOLIDAY-LAND".

UN IMMENSE COMPLEXE DE VACANCES POUR MILLIARDAIRES, AVEC PROJET DE MARINA, TERRAIN DE GOLF, CASINO, THALASSO ET TOUT LE DÉCORUM.

MANQUAIT PLUS QU'UN TERRAIN CONSTRUCTIBLE AVEC ACCÈS À LA MER.

PAR ICI, C'EST PLUTÔT RARE, LE CONSERVATOIRE DU LITTORAL A PRATIQUEMENT TOUT RACHETÉ.

OUAIS! SAUF QU'UNE NOTE MANUSCRITE MENTIONNAIT LE DOMAINE DE WARREN BULLET COMME ACHAT POTENTIEL, SI VOUS VOYEZ CE QUE JE VEUX DIRE?

IL VOUS L'AURAIT DIT.

ILS L'ONT CONTACTÉ, MAIS BULLET M'A AFFIRMÉ QU'IL LES AVAIT ENVOYÉS PAÎTRE. CELA NE M'ÉTONNERAIT QU'À MOITIÉ SI J'APPRENAIS QU'ILS ONT TENTÉ DE LUI FORCER LA MAIN.

JE VOIS... IL LEUR A VENDU.

IL A PEUT-ÊTRE TENTÉ DE RÉGLER SES PROBLÈMES SANS LE CONCOURS DE LA POLICE NATIONALE. CE GENRE DE TYPE DÉTESTE NOUS VOIR TRAÎNER DANS LEUR CUISINE.

À MOINS QU'IL NE SE SOIT OFFERT LES SERVICES D'UN PRIVÉ DANS VOTRE GENRE, PAR EXEMPLE...

ET QUEL RAPPORT AVEC LE MASSACRE?

J'EN SAIS FOUTRE RIEN. UN DÉSACCORD, UN RÈGLEMENT DE COMPTES ENTRE EUX... JE M'EN TAPE, DE TOUTE FAÇON...

ALORS POURQUOI CET AIR CONTRARIÉ?

PARCE QUE VOUS VOUS FOUTEZ DE MA GUEULE, ET QUE J'AI HORREUR DE ÇA!

LA FEMME DE SUSINI A TÉMOIGNÉ, FIGUREZ-VOUS.

50

SON MARI S'EST FAIT ENLEVER, LE SOIR MÊME DU MASSACRE, PAR UN TYPE EN CASQUETTE ET CHEMISE À FLEURS. C'EST MARRANT, J'AI TOUT DE SUITE PENSÉ À VOUS. MON MANQUE D'IMAGINATION, SANS DOUTE...

DES TYPES EN CHEMISES À FLEURS, PAR ICI, C'EST PAS ÇA QUI MANQUE...

ET PUIS VOUS NE PORTEZ JAMAIS DE CASQUETTE.

JAMAIS. LE LOOK RICAIN BASE-BALLEUR, C'EST PAS MON TRUC.

DE TOUTE FAÇON, LA FEMME DE SUSINI EST LOIN D'ÊTRE RAVAGÉE PAR LE CHAGRIN. ELLE M'A MÊME PARUE SOULAGÉE D'APRENDRE QUE SON CHER MARI AVAIT PASSÉ L'ARME À GAUCHE. ON VA SANS DOUTE CLASSER L'AFFAIRE RAPIDEMENT.

L'ESSENTIEL, FINALEMENT, C'EST QUE CET ENDROIT GARDE INTACTE SA MAJESTÉ. Ç'AURAIT ÉTÉ DOMMAGE.

Ç'AURAIT ÉTÉ DOMMAGE, EN EFFET.

FAUT QUE JE VOUS LAISSE, COMMISSAIRE, J'AI RENDEZ-VOUS AVEC DES AMIS.

CORSO!

COMMISSAIRE?

KAREN NOVACEK, LE CERVEAU DU CLAN, N'A PAS ÉTÉ RETROUVÉE PARMI LES CADAVRES.

MÉFIEZ-VOUS, IL N'Y A PAS PLUS RANCUNIER QU'UNE FEMME.

JE NE VOUS LE FAIS PAS DIRE. BONNE JOURNÉE, COMMISSAIRE.

C'EST ÇA, BONNE JOURNÉE!

EN VACANCES?

C'EST LA PREMIÈRE FOIS QUE VOUS VENEZ AUX BAHAMAS?

VOUS ME FAITES DE L'OMBRE!

SI VOUS VOULEZ, JE PEUX VOUS FAIRE VISITER DES CRIQUES À L'ÉCART DE TOUS LES CIRCUITS TOURIS...

JE NE SUPPORTE PAS QU'ON ME TOUCHE, SALE BÂTARD! ALORS TU VAS TE FROTTER LA QUEUE PLUS LOIN!!

PÉTASSE MAL BAISÉE!

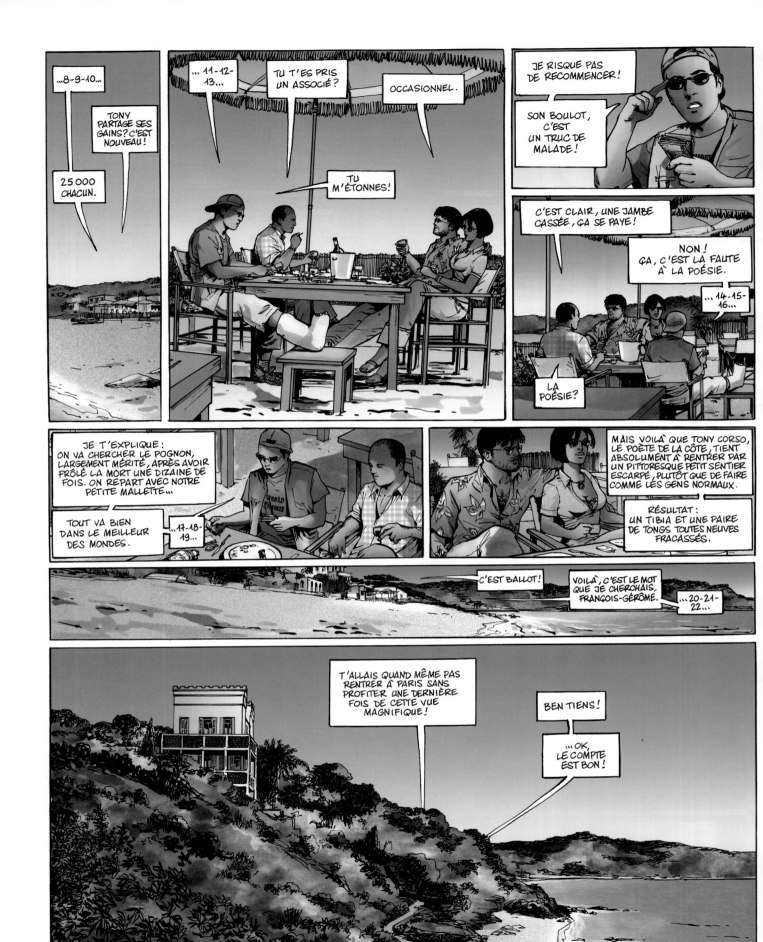

Olivier BERLION

TONY CORSO
La Comtesse Volodine
Prime Time
La Fortune de Warren Bullet
à paraître : Tome 4

CHEZ LE MÊME ÉDITEUR

LIE-DE-VIN
[avec Corbeyran]
collection Long Courrier

CŒUR TAM-TAM
[avec Tonino Benacquista]
collection Long Courrier

LE CADET DES SOUPETARDS
[avec Corbeyran]
La Louche
La Boucholeuse
L'Œil de vitre
L'Arbre au Pierrot
Le Moucheur
Sous l'aile du diable
L'Âne en culotte
Hors série N°1 – P'tites histoires courtes
Hors série N°2 – P'tites histoires courtes à l'école
Hors série N°3 – P'tites histoires courtes de vacances

CHEZ D'AUTRES ÉDITEURS

SALES MIOCHES
[avec Corbeyran]
L'Impasse – Casterman
L'Île Barbe – Casterman
La Ficelle – Casterman
Mauvaise pente – Casterman
La Veuve Pigeon – Casterman

[avec Corbeyran et Skiav]
Les Frères Dalessandre – Casterman

HISTOIRES D'EN VILLE
3 tomes – Glénat